SESSA EDITORES

Para mi hijo Luis.

NUEVA ARGENT

I.S.B.N.: 950-9140-43-0
Publicado en la Argentina en 1996 por SESSA EDITORES.
Cosmogonías S.A., Pasaje Bollini 2234, C1425ECD Buenos Aires, Argentina.
Tels: (54-11) 4803-6700 / 6706. Fax: (54-11) 4804 - 8430. h t t p : / / w w w . s e s s a e d i t o r e s . c o m . a r
Coedición realizada por Cosmogonías S. A. Buenos Aires, República Argentina y
Lisl Steiner, Artist Photo Journal, Estados Unidos de América.
Queda hecho el depósito que dispone la ley Nº 11.723.

Diseño de Carolina Sessa

INA PANORAMA

Texto de Elsa Insogna   Fotografías de Aldo Sessa

A R G E N T I N A

El gran desarrollo en latitud y la armoniosa distribución del relieve argentino y de sus climas conforman un mosaico de paisajes de fuertes tonos contrastantes en el que se destaca la inmensa planicie de la Pampa, nombre que, para muchos, es sinónimo de Argentina... Enclavada entre la selva y el desierto, entre la montaña y el mar, la Pampa ostenta con orgullo su riqueza agrícola-ganadera, sus parques industriales, sus generosas playas, las ciudades más importantes del país: Buenos Aires, capital de la república, Córdoba, de rancia tradición cultural, Rosario, importante centro económico, Mar del Plata, Bahía Blanca... Por el norte, la llanura se transforma en el Chaco, "país de cacerías" para sus antiguos aborígenes, reinado del gato onza, de pumas y de jaguares; allí el hombre explota el bosque, sobre todo de quebrachos y aprovecha las "abras" para sembrar sus algodonales y criar su ganadería tropical. También es llanura la Mesopotamia con el cuadro

selvático de Misiones en el que se precipitan las formidables cataratas del Iguazú, el ambiente curioso e inquietante de los bañados y esteros correntinos o el de los naranjales, teñido todo del dulce acento guaraní, el suave relieve de las colinas y el paisaje bucólico del delta del Paraná. La montaña no es menos rica en variaciones. Comienza allá en la Puna, alta, desolada, que, con los cordones serranos que la acompañan, cubren todo el noroeste argentino; en medio de la aridez en la que el único "árbol" es el cardón, el color sólo lo dan la piedra y la transparencia del cielo. El verdor surge en los valles y quebradas donde se asientan

las poblaciones de fuerte contenido tradicional; la bella ciudad de Salta descansa en uno de esos valles. Por contraste, frente al Chaco, las faldas orientales de esas sierras se cubren de lujuriosa vegetación dando vida así a la selva tucumana y al incomparable paisaje serrano del oeste cordobés. En lugar de privilegio, se levanta en esta región la ciudad de San Miguel de Tucumán. Hacia los 28° de latitud la cordillera de los Andes pasa a formar el límite internacional con Chile; pétrea, inexpugnable, ostentando las más altas

cumbres del continente cubiertas de nieves perpetuas, alberga, sin embargo, los prósperos oasis cuyanos presididos por la ciudad de Mendoza, uno de los más pujantes centros urbanos del país. Ya en la Patagonia, los Andes pierden altura, rigidez y continuidad; dejan pasar los vientos húmedos del Pacífico y el escenario se transforma en un cuadro de bosques y de lagos, de magníficas pistas de esquí, de ciervos y de flores. Con óptimas condiciones para el asentamiento humano, allí nacieron San Carlos de Bariloche, San Martín

de los Andes... Avanzando en latitud, la montaña andina anuncia ya el paisaje polar en sus glaciares, como el Perito Moreno o el Upsala, y en sus campos de hielo; muy al sur, en el extremo del continente, son todavía montañas andinas las que enmarcan la ciudad de Ushuaia, la más austral del mundo. Este mosaico tiene su más fuerte expresión en la meseta patagónica, y con marcados contrastes; en un suelo árido, pedregoso, con una vegetación natural huraña, azotada por el viento, aparecen de pronto los valles de sus ríos septentrionales transformados por la labor fecunda en vergeles y prósperos centros

agroindustriales, mientras que en la meseta ondulan los rebaños de lanares en el ámbito de estancias de dimensiones impensables, modelos en su género. Por su parte, las torres de petróleo pueblan el paisaje sin árboles y avanzan hasta dentro del mar... El hombre atrapa la energía de los ríos que bajan de los Andes vecinos en complejos hidroeléctricos y la hace llegar, junto con oleoductos y gasoductos, a todos los rumbos del país. Las costas patagónicas, altas, acantiladas, con playas abrigadas y aguas transparentes ofrecen seguros

puertos aprovechados sobre todo para la actividad pesquera basada en la pródiga calidad, variedad y abundancia de las especies ictícolas; ofrecen, además, el espectáculo de sus elefanterías, loberías y pingüineras. Neuquén, Carmen de Patagones, Puerto Madryn, Comodoro Rivadavia, Río Grande, son la expresión urbana del esfuerzo realizado. Tal, en apretada síntesis, una rápida visión de la Argentina.

The generosity of Argentina's latitudes and harmonious distribution of relief and climate create a mosaic of landscapes with sharply contrasting tones whose outstanding motif is the immense pampan plain; for many, the Pampa is synonymous of Argentina... Set between the jungle and the desert, between the mountains and the sea, the Pampa proudly shows off its bounteous farming and ranching, industrial parks, generous beaches, and also the country's greatest cities: Buenos Aires, the nation's capital, Córdoba, with sterling cultural tradition; Rosario, a wealthy trade center, Mar del Plata and Bahía Blanca, two great seaports... To the north, the flatland turns into the Chaco or "the hunting ground" for its native inhabitants, domains of the ounce cat, pumas and jaguars; there, humans exploit the forest, especially the "quebracho" (the famous "break-axe tree"), and use the clearings to plant cotton and to raise tropical cattle. Another face of the plain is the Mesopotamia: the jungle of Misiones with the impressive Iguazú Falls thundering through; and in contrast, the uncanny atmosphere pervading the vast wetlands of Corrientes or its orange groves, all this tinted with the soft tones of the Guaraní language and culture; down to the gentle roll of hills and the bucolic landscapes of the Paraná River delta. The mountain is just as delightfully varied. It rises up in the Puna, the high, desolate upland rimmed by its chain of sierras: together, they cover the whole northwest of Argentina; in the midst of this aridness, whose sole "tree" is the giant cactus, colors glow richly from the rocks and the transparent sky. Green winks up from the valleys and broad ravines where people with strong ties to ancient culture have taken root; the beautiful city of Salta lies in one of these valleys. In contrast, on the other side of the "hunting ground", the eastern slopes of the same sierras are covered with lush vegetation, giving life to the jungle of Tucumán and the incomparable landscapes of western Córdoba. Occupying the finest spot in the region is the city of San Miguel de Tucumán. Moving westward, at latitude 28° a gigantic boundary between Argentina and Chile is formed by the Andes Range; stony, impenetrable, boasting the continent's loftiest peaks covered with etenal snow, it also shelters the prosperous oases of the Cuyo, captained by the city of Mendoza, one of the conuntry's burgeoning urban centers. At its southern extremities nearing the Patagonia, the Andes Range relinquishes height, rigidity and continuity; there, the mountains usher in the humid winds from the Pacific, setting the stage for a scenario of forests and lakes, magnigicent ski slopes, deer and flowers. These optimum conditions for human settlement have nurtured the growth of the cities of San Carlos de Bariloche and San Martín de los Andes. As the latitude advances south, the Andes begin to announce the polar landscape with their glaciers -the Perito Moreno, the Upsala- and their snowfields; much farther south, at the tip of the continent, the mountains framing Ushuaia, the continent's southernmost city, are still the Andes. The most striking and contrasting scene of this mosaic is the patagonian tableland; in the parched creases of this arid, rocky ground with only reticent, wind-whipped vegetation, green river valleys suddenly burst into view, transformed by fruitful labor into gardens and prosperous agroindustrial centers; on the bleak plateau, vast flocks of woolly sheep roll over unimaginably huge ranches, models of their kind. The oil rigs bobbing up and down on the treeless landscape march right down into the sea itself. Human accomplishment traps the energy of the rivers rushing down from the nearby Andes in hydroelectric complexes, and sends the electricity, as well as oil and gas, to the rest of the country. The coasts of the Patagonia are cliffs high above cozy beaches and crystalline waters, where the safe ports are sought by the fishing industry that is drawn by the prodigious quality, variety and abundance of species in these seas; the coasts also present the spectacle of colonies of elephant seals, sea lions and penguins. The patagonian cities of Neuquén, Carmen de Patagones, Puerto Madryn, Comodoro Rivadavia, Río Grande, are urban expressions of great effort. Thus, in briefest synthesis, a fast sweeping view of Argentina.

O grande desenvolvimento em latitude e a harmoniosa distribuição do relevo argentino e dos seus climas formam um mosaico de paisagens de fortes tons contrastantes, no qual se destaca a imensa planície da Pampa, nome que, para muitos, é sinônimo de Argentina... Encravada entre a selva e o deserto, entre a montanha e o mar, a Pampa ostenta com orgulho sua riqueza agropecuária, seus parques industriais, suas generosas praias, as cidades mais importantes do país: Buenos Aires, capital da república; Córdoba de antiga tradição cultural; Rosário, importante centro econômico; Mar del Plata, Bahia Blanca... Ao norte, a planície se transforma no Chaco, "país de caçadas" para os seus antigos aborígines, reino da jaguatirica, de pumas e de onças; ali o homem explora o bosque, sobretudo de quebrachos, e aproveita as "clareiras" para semear seus algodoais e criar seu gado tropical. Também é planície a Mesopotâmia, com o quadro selvático de Misiones, no qual se precipitam as formidáveis cataratas do Iguaçu, o ambiente curioso e inquietante dos banhados e esteiros correntinos ou o dos laranjais, tudo isso tinto do doce sotaque guarani, do suave relevo das colinas e da paisagem bucólica do delta do Paraná. A montanha não é menos rica em variantes. Começa lá na Puna, alta, desolada, que com os cordões serranos que a acompanham, cobrem todo o noroeste argentino, no meio da aridez na qual a única "árvore" é o cardo-gigante, a cor só lhe é dada pela pedra e a transparência do céu. O verdor surge nos vales e quebradas, onde estão estabelecidos os povoados de forte conteúdo tradicional: a bela cidade de Salta descansa num desses vales. Como contraste, em frente ao Chaco, os sopés orientais dessas serras cobrem-se de luxuriante vegetação, dando vida assim à selva tucumana e à incomparável paisagem serrana do oeste cordobês. Num lugar de privilégio ergue-se, nesta região, a cidade de San Miguel de Tucuman. Em direção aos 28° de latitude, a cordilheira dos Andes passa a formar o limite internacional com o Chile; pétrea, inexpugnável, ostentando os mais altos cumes do continente, cobertos de neves perpétuas abriga, não obstante, os prósperos oásis cuyanos, presididos pela cidade de Mendoza, um dos mais pujantes centros urbanos do país. Já na Patagônia, os Andes perdem altura, rigidez e continuidade; deixam passar os ventos úmidos do Pacífico e o cenário se transforma num quadro de bosques e de lagos, de magníficas pistas para esquiar, de cervos e de flores. Com ótimas condições para o estabelecimento humano, ali nasceram San Carlos de Bariloche, San Martin de los Andes... Avançando em latitude, a montanha andina já anuncia a paisagem polar em suas geleiras, como a Perito Moreno ou a Upsala, e nos seus campos de gelo; muito ao sul, no extremo do continente, ainda são as montanhas andinas as que emolduram a cidade de Ushuaia, a mais austral do mundo. Este mosaico tem a sua mais forte expressão no planalto patagônico e com marcados contrastes: num solo árido, pedregoso, com uma vegetação natural arisca, açoitada pelo vento, aparecem repentinamente os vales de seus rios setentrio-nais, transformados pelo labor fecundo em jardins e prósperos centros agroindustriais, enquanto no planalto ondulam os rebanhos de lanígeros no âmbito de fazendas de dimensões inimagináveis, modelos no seu gênero. Por sua parte, as torres de petróleo povoam a paisagem sem árvores e avançam até dentro do mar... O homem captura a energia dos rios que descem dos Andes vizinhos, em usinas hidrelétricas e a faz chegar, junto com oleodutos e gasodutos, a todos os lugares do país. As costas patagônicas altas, escarpadas, com praias abrigadas e águas transparentes, oferecem portos seguros, aproveitados sobretudo para a atividade pesqueira, baseada na pródiga qualidade, variedade e abundância das espécies písceas; oferecem, além do mais, o espetáculo das suas "elefanterias" (= reservas de elefantes-marinhos), "loberias" (= reservas de lobos-marinhos) e "pingüineras"(= reservas de pingüins). Neuquén, Carmen de Patagones, Puerto Madryn, Comodoro Rivadávia, Rio Grande são a expressão urbana do esforço realizado. Assim é, numa comprimida síntese, uma rápida visão da Argentina.

11

15

Págs. 16-17,
Rosedal, Palermo. Capital Federal. /
Rose Garden, Palermo. Federal Capital. /
"Rosedal" (=Roseiral), Palermo. Capital Federal.

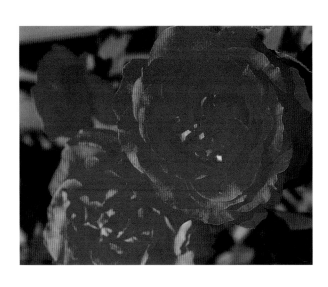

Gomero, Recoleta. / *Rubber tree, Recoleta.* / Gomeiro, Recoleta.

Pág. 19,
"Las Nereidas", por Lola Mora, Costanera Sur. Capital Federal. /
"The Nereids" by Lola Mora, Southern Coastal Promenade. Federal Capital. /
"As Nereidas", obra de Lola Mora, Costanera sul. Capital Federal.

Págs. 20-21.
Ciudad de Ushuaia, Tierra del Fuego. /
The city of Ushuaia, Tierra del Fuego. / Cidade de Ushuaia, Terra do Fogo.

Pág. 23.
Bosque de lengas, Tierra del Fuego. /
Forest of lengas, Tierra del Fuego. /
Bosque de "lengas" (= árvores típicas), Terra do Fogo.

Págs. 24-25.
Lapataia, Parque Nacional Tierra del Fuego. /
Lapataia, Tierra del Fuego National Park. /
Lapataia, Parque Nacional Terra do Fogo.

Págs. 26-27.
Arreo de ovejas, Río Grande. Tierra del Fuego. /
Sheep roundup, Río Grande. Tierra del Fuego. /
Arrebanhando as ovelhas, Río Grande. Terra do Fogo.

Pág. 28,
Campanario. Iglesia en Huacalera. /
Belfry. Church in Huacalera. / Campanário. Igreja em Huacalera.

Pág. 29,
Iglesia de San Francisco, Tilcara. Jujuy. /
Church of San Francisco, Tilcara. Jujuy. / Igreja de São Francisco, Tilcara. Jujuy.

Pág. 30,
Parque y Reserva Nacional "El Palmar", Colón. Entre Ríos. /
"El Palmar" [The Palm Grove] National Park and Reserve, Colón. Entre Ríos. / Parque e Reserva Nacional "El Palmar" (= O Palmeiral), Colón. Entre Rios.

Puerto. / *Port.* / Porto.

32

Pág. 33,
Playa Bristol, Mar del Plata. Buenos Aires. /
Bristol Beach, Mar del Plata. Buenos Aires. /
Praia Bristol, Mar del Plata. Buenos Aires.

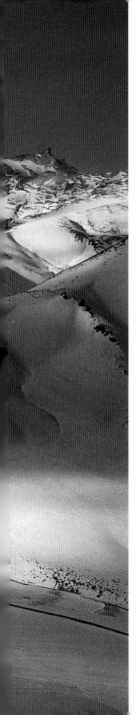

Págs. 34-35.
Complejo Turístico "Las Leñas". Mendoza. /
The "Las Leñas" tourist complex. Mendoza. /
Conjunto Turístico "Las Leñas" (=As Lenhas"). Mendoza.

Págs. 36-37,
Cosecha de uvas, Tupungato. Mendoza. /
Grape harvest, Tupungato. Mendoza. /
Colheita de uvas, Tupungato. Mendoza.

39

Págs. 38-43,
Cataratas del Iguazú, Parque Nacional Iguazú. Misiones. /
Iguazú Falls, Iguazú National Park. Misiones. /
Cataratas do Iguaçu, Parque Nacional Iguaçu. Misiones.

Pág. 42 a. Guacamayo. / *Macaw.* / "Guacamayo" (= variedade de arara).
b y c. Flores autóctonas. / *Autochtonous flowers.* / Flores autóctones.
Pág. 43, Tucán. / *Toucan.* / Tucano.

42

Págs. 44-45,
Ruinas de la Misión de San Ignacio Miní. Misiones. /
Ruins of the San Ignacio Miní Mission. Misiones. /
Ruínas da Missão de San Ignácio Mini. Misiones.

Págs. 46-47.
Formaciones Geológicas, Valle de la Luna. San Juan. /
Geologic Formations, Valle de la Luna [Moon Valley]. San Juan. /
Formações Geológicas, Vale da Lua. San Juan.

Garza, Formosa /
Lesser egret, Formosa. / Garça, Formosa.

Pág. 49,
Cosecha de algodón, Pres. Roque Sáenz Peña. Chaco. /
Picking cotton, Pres. Roque Sáenz Peña. Chaco. /
Colheita de Algodão, Pres. Roque Sáenz Penha. Chaco.

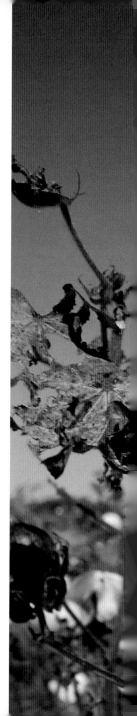

51

Pág. 50,
Parque Provincial de Talampaya. La Rioja. /
Talampaya Provincial Park. La Rioja. /
Parque Provincial de Talampaya. La Rioja.

Págs. 52-53,
Costa patagónica. Chubut. /
Patagonian coast. Chubut. /
Costa patagônica. Chubut.

Pág. 54,
Pingüinera, Punta Tombo. Chubut. /
Colony of penguins, Punta Tombo. Chubut. /
"Pingüinera" (= Reserva de pingüins) , Ponta Tombo. Chubut.

Pág. 55, Elefante marino. / *Sea elephant.* / Elefante-marinho.

55

Págs. 56-57,
Ballena franca del Sur, Puerto Pirámide. Chubut. /
Southern whalebone whale, Puerto Pirámide. Chubut. /
Baleia "franca" (= mansa) do Sul, Porto Pirâmide. Chubut.

Catedral y detalle de la reja. Córdoba./
Cathedral and detail of the ironwork gate. Córdoba./
Catedral e detalhes da grade. Córdoba.

Pág. 58,
Catedral. Córdoba. / *Cathedral. Córdoba.* /Catedral. Córdoba.

Altar de la Capilla Doméstica de la Compañía de Jesús. /
Altar of the Private Chapel of the Compañía de Jesús. /
Altar da Capela Particular da Companhia de Jesus.

Pág. 61,
Farol del Templo de la Compañía de Jesús. Córdoba. /
Lantern of the Church of the Compañía de Jesús. Córdoba. /
Lampião do Templo da Companhia de Jesus. Córdoba.

Págs. 62-63. Iglesia Santa Catalina, Ascochinga. Córdoba. /
Church of Santa Catalina, Ascochinga. Córdoba. /
Igreja de Santa Catarina, Ascochinga. Córdoba.

Págs. 64-65,
Península de Llao-Llao sobre el Lago Nahuel Huapi, San Carlos de Bariloche. Río Negro. /
Llao-Llao peninsula on Lake Nahuel Huapi, San Carlos de Bariloche. Río Negro. /
Península de Llao-Llao no Lago Nahuel Huápi, San Carlos de Bariloche. Rio Negro.

67

Págs. 66,
Lago Perito Moreno, San Carlos de Bariloche. Río Negro. /
Perito Moreno Lake, San Carlos de Bariloche. Río Negro. /
Lago Perito Moreno, San Carlos de Bariloche. Río Negro.

Págs. 68-69,
Cerro Catedral, San Carlos de Bariloche. Río Negro. /
Mount Catedral, San Carlos de Bariloche. Río Negro. /
Cerro Catedral, San Carlos de Bariloche. Río Negro.

Págs. 70-73,
Country Club de Cumelén. Neuquén. /
Cumelén Country Club. Neuquén. / Country Clube de Cumelén. Neuquén.

Puerta del Convento de San Bernardo. /
San Bernardo Convent door. / Porta do Convento de São Bernardo.

74

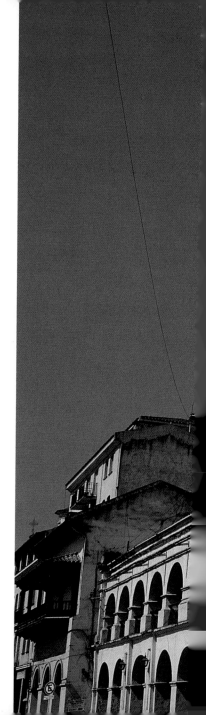

Pág. 75, Cabildo. Salta. /
"Cabildo" [colonial government house]. Salta. /
"Cabildo" (= casa do governo colonial). Salta.

Iglesia de Nuestra Señora de la Candelaria de la Viña. /
Church of Nuestra Señora de la Viña [Our Lady of the Vineyard]. /
Igreja de Nossa Senhora da Candelária da Vinha.

77

Gauchos de Güemes. /
The Gauchos of Güemes. /
"Gauchos" (= habitantes das pampas) de Güemes.

Pág. 78,
Plaza San Martín. / Salta.
San Martín Square. Salta. / Praça San Martin. / Salta.

Nave central de la Catedral. /
Central nave of the Cathedral. /
Nave central da Catedral.

Pág. 79,
Plaza San Martín. /
San Martín Square. / Praça San Martín.

Pág. 80,
Catedral, San Fernando del Valle de Catamarca. /
Cathedral, San Fernando del Valle de Catamarca. /
Catedral, São Fernando do Vale de Catamarca.

Págs. 82 - 83,
Glaciar Perito Moreno, Lago Argentino. Santa Cruz. /
Perito Moreno Glacier, Lake Argentino. Santa Cruz. /
Geleira Perito Moreno, Lago Argentino. Santa Cruz.

Pág. 84, Cuevas del Gualicho. / *Caves of the Gualicho.* / "Cuevas del Gualicho" (= Grutas do Feitiço).

Pág. 85, Calafate. Santa Cruz. / *Calafate. Santa Cruz.* / Calafate. Santa Cruz.

Págs. 86 - 87,
Témpano, Lago Argentino. Santa Cruz. /
Iceberg, Lake Argentino. Santa Cruz. /
Bloco de gelo, Lago Argentino. Santa Cruz.

Págs. 88-89,
Sierra de las Quijadas. San Luis. /
"Las Quijadas" Range. San Luis. /
Serra das "Quijadas". San Luis.

90

Pág. 91, Casa de Gobierno. Santa Fe. /
Government House. Santa Fe. / Casa do Governo. Santa Fé.

Pág. 92, Catedral de San Miguel de Tucumán. /
Cathedral of San Miguel de Tucumán. / Catedral de San Miguel de Tucuman.

Estatua de Juan Bautista Alberdi por Lola Mora. /
Statue of Juan Bautista Alberdi by Lola Mora. / Estátua de Juan Bautista Alberdi, obra de Lola Mora.

Casa de la Independencia. / *Independence House.* / Casa da Independência.

94

Pág. 95,
Vista aérea de las plantaciones de citrus. Tucumán. /
Aerial view of a citrus plantation. Tucumán.
Vista aérea das plantações de citros. Tucuman.

Colonia Tinco. Santiago del Estero. / *Colonia Tinco. Santiago del Estero.* / Colônia Tinco. Santiago del Estero.

98

Pág. 99,
Puente General Belgrano. Corrientes. /
The General Belgrano Bridge. Corrientes. /
Ponte General Belgrano. Corrientes.

Jineteada. /*Horse breaking.* / Domação.

100

Pág. 101,
Arreo de Ganado, Rancul. La Pampa. /
Roundup, Rancul. La Pampa. /
Arrebanhando o Gado, Rancul. La Pampa.

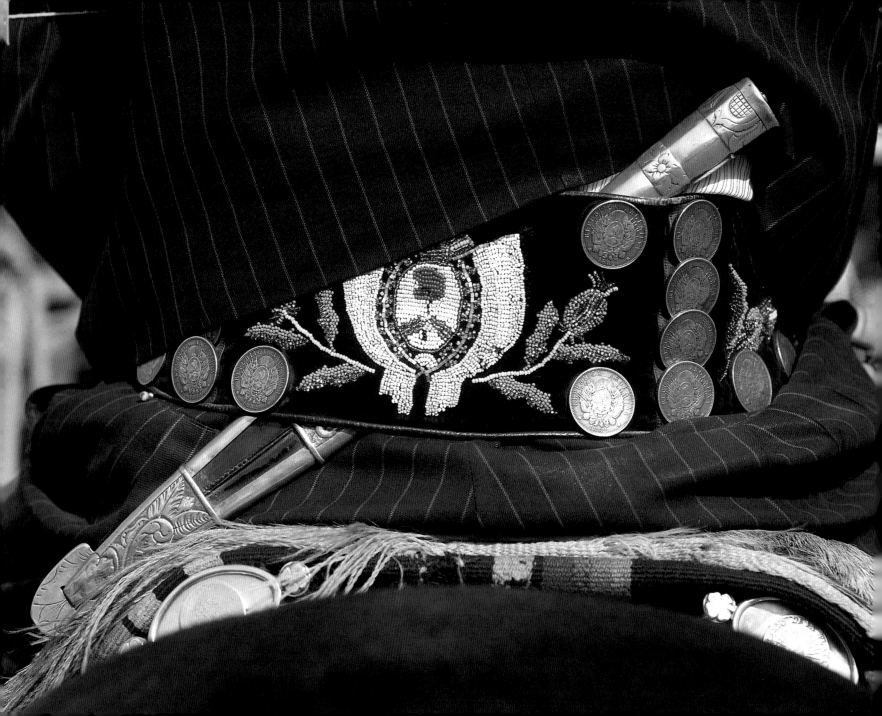

Págs. 102-103, Lujos del Gaucho y su caballo. Prov. de Buenos Aires. /
Luxuries of the Gaucho and his horse. Prov. of Buenos Aires. /
Adornos do "Gaucho" (= habitante das pampas) e seu cavalo. Prov. de Buenos Aires.

Págs. 104-105, Arreo de Ganado, "Estancia Hinojales", Gral. Alvear. Prov. de Buenos Aires. /
Roundup, "Hinojales" Ranch, Gral. Alvear. Prov. of Buenos Aires. /
Arrebanhando o Gado, "Fazenda Hinojales", General Alvear. Prov. de Buenos Aires.

Pág. 107, Gaucho. /
Gaucho. / "Gaucho" (= habitante das pampas).

Pág. 106,
Asado, Parque Criollo "Ricardo Güiraldes", San Antonio de Areco. Prov. de Buenos Aires. /
Barbecue, "Ricardo Güiraldes" Criollo Park, San Antonio de Areco. Prov. of Buenos Aires. /
Churrasco, Parque "Criollo" (= nativo) "Ricardo Güiraldes", San Antonio de Areco. Prov. de Buenos Aires.

Págs. 108-109,
Tropilla de caballos. Prov. de Buenos Aires. /
*Herd of horses. Prov. of Buenos Aires. /*Tropilha de cavalos. Prov. de Buenos Aires.

INDICE DE PROVINCIAS
por orden alfabético

REPUBLICA ARGENTINA
Div i s i ó n   P o l í t i c a   d e   s u   T e r r i t o r i o

PARTICIPARON EN LA REALIZACIÓN DE ESTE LIBRO:

Aldo Sessa. Dirección del proyecto.

Estudio Aldo Sessa
http://www.aldosessa.com.ar

Damián A. Hernández: Gerencia, edición fotográfica y asistente.
Carolina Sessa: Diseño gráfico.
Carlos A. Silva: Producción gráfica.
Jorge D. Granados: Archivo general.
Raúl Gigante: Laboratorio.

Sessa Editores
http://www.sessaeditores.com.ar

Luis Sessa: Gerencia de Promoción y Desarrollo Comercial.
Marta L. Girolli: Gerencia de Ventas.

Susan Rogers: Traducción al inglés.
Lelia Wistak: Traducción al portugués.

Lisl Steiner: Liaison en EE. UU.

Los derechos de reproducción de todas las fotografías de este libro se comercializan en
ALDO SESSA PHOTO STOCK ARGENTINA
http://www.sessaphotostock.com - E-mail: info@sessaphotostock.com
Pasaje Bollini 2241 Buenos Aires C1425ECC República Argentina
Tels.: (05411) 4806-3796/3797. Fax: (05411) 4803-9071

Esta edición de "NUEVA ARGENTINA PANORAMA", con fotografías de Aldo Sessa,
se terminó de imprimir en Singapur el 25 de Mayo de 2001.